(LAND)FILL İSTANBUL DOLGU İSTAN

(LANDFILL) İSTANBUL

TWELVE SCENARIOS FOR A GLOBAL CITY

DOLGU İSTANBUL

KÜRESEL ŞEHRE ONİKİ SENARYO

First published in 1. Basım

2004

Published by Yayımlayan

124/3

EKLTD Kazancı Yokuşu 65/3 Gümüşsuyu 34437 İstanbul - TR

ISBN 975-96650-2-6

Text and collages Metin ve kolajlar

ESRA AKCAN

Book design Kitap tasarımı

ESEN KAROL

Printed and bound by Baskı ve cilt

MAS Matbaacılık A.Ş.

(LAND)FILL İSTANBUL DOLGU İSTANBUL

TWELVE SCENARIOS FOR A GLOBAL CITY KÜRESEL ŞEHRE ONİKİ SENARYO

ESRA AKCAN

When İstanbul becomes too small, it just expands by filling up its bodies of water. In the last century and mostly

İstanbul küçüldüğünde denizin içine kara doldurarak büyür. Son yüzyılda ve özellikle son yirmi yılda yeni dolgu

in the last twenty years, hundreds of thousands metercubes of land has been piled up to construct the new landfill

alanlarının inşası için yüzbinlerce metreküp toprak Marmara Denizi ve Boğaz kıyısı boyunca yığılmıştır.

areas across the Marmara Sea as well as the Bosphorus. There have been serious urban interventions of trimming

Haliç'te ise dolgu ve tıraşlama yöntemleri ile ciddi kentsel girişimlerde bulunulmuştur. Sur duvarları ve yalıların

and filling across the Golden Horn. From a city where the fortress walls and waterfront houses rose just above

suyun hemen kenarından yükseldiği bir kentten, deniz ve bina sıralarının arasında geniş bulvarlar ve

the water, İstanbul turned into a city where wide boulevards and broad parks run in between the sea

devasa parklar olan bir şehre dönüşmüştür, İstanbul.

and the rows of buildings.

On the one hand, these interventions on land radically changed the natural course of the city edge where the land

Bir yandan, bu tip müdahaleler şehirde kara ve suyun buluştuğu kenardaki doğal izi ciddi biçimde dönüştürmüş,

meets the water. Sometimes they had insensitively caused the demolition of historical fabrics. And in some places

zaman zaman tarihi dokunun duyarsızca yıkımına sebep olmuştur. Kazıklı yol örneğinde olduğu gibi,

they resulted in absurd negotiations, such as the elevated roads that sought to preserve the waterfront houses

bazı durumlarda yalı ve otoyol arasındaki garip pazarlıklarla sonuçlanmıştır. Diğer yandan, bu dolgu yollar

without disrupting the continuity of the newly built highways along the Bosphorus. Yet on the other hand,

modernleşme ve motorize olmanın karşı konulması zor güçleri sonucunda ortaya çıkmıştır.

these landfill vehicular roads are the hardly dispensable forces of modernization and motorization.

The landfill parks and promenades open the banks of the Bosphorus to the masses, rather than the privileged few
Yol boyunca uzanan dolgu kaldırım ve parklar Boğaz kıyılarını, yalı ve eski sarayların keyfini çıkaran küçük
who enjoy the waterfront houses and hotels that used to be the Sultan's palaces. It is very common to see groups of
bir grubun özel malı olmaktan çıkarıp, halkın daha geniş bir kesimine açar. Bugün kıyı boyunca güneşlenen,
men and children sunbathing, fishing, picnicking or going into the water on the sidewalks of the vehicular roads
balık tutan, piknik yapan ya da denize giren erkek ve çocuklara rastlamak çok olağandır. İstanbul'un
along the shoreline. A look at the silhouette of İstanbul's modern neighborhoods at the Marmara Coast
Marmara kıyısındaki modern mahallelerinin denizden silüetine şöyle bir dikkat etmek, bu dolgu parkların
would confirm that, today, these landfill parks are actually the only green spaces where the city breathes.
şehrin nefes almasını sağlayan ender yeşil alanlar olduğunu fark etmeye yetecektir.

However, even though the city habitants have an intense and loving relation with the water in İstanbul
Deniz kıyısındaki birçok metropol ile kıyaslandığında, İstanbulluların su ile çok daha yoğun ve sevgi dolu bir
– perhaps more intense than many other coastal metropolises around the world –, the radical urban interventions
ilişkisi olmasına rağmen, son elli yıldır belediyelerce yapılan dolgu projeleri bu yoğun ilişkinin hakettiğinden
of the municipalities over the last five decades have been much less subtle and unimaginative in design.
çok daha az incelikli ve hayal gücünden yoksun olagelmiştir. Bu kitap, hem son dönem yapılan ve
This book is both an indirect comment on the blandness of the recent landfill projects that have changed
şehrin coğrafi dokusunda iz bırakan dolgu alanlarının donukluğu üzerine dolaylı bir söz, hem de İstanbul'da
the geography of the city, and a dramatized depiction of different interest groups that control or aspire to control
kıyı ve denizin kullanımını kontrol eden ya da kontrol etmek isteyen farklı gruplar hakkında dramatize edilmiş
the use of water and the coast in İstanbul.
bir sunum olarak düşünülmüştür.

...ng up the water along the coastline is the habit of İstanbul to expand itself in order to catch up with the

Kıyı boyunca denizin içini doldurarak büyümek İstanbul'da modernleşmenin gereklerini yakalamak adına

requirements of modernization, here are twelve scenarios for the future of global İstanbul, where someone's utopia

alışkanlık haline geldiyse eğer, işte size küresel bir kent olarak İstanbul'un geleceği için her birinde bir idealin

had been actualized through the treatment of the edge where the city once met the water. Each scenario is narrated

su ile karanın buluştuğu noktanın dönüşümü ile gerçekleştiği oniki senaryo. Her senaryo birbirine tercüme

in three languages translated into each other: English, Turkish and the visual. The English text tells the stories

edilen üç dilde anlatılmıştır: İngilizce, Türkçe ve görsel dil. İngilizce metin, hikayeleri içerden, birinci tekil şahsın

from the inside through the viewpoint of the first person singular, namely through the characters who tell their

yani kendi hikayesini anlatan karakterlerin bakış açısından naklederken, Türkçe metin üçüncü tekil şahsı

own stories. The Turkish version on the other hand uses the 3rd person singular, telling the stories through

kullanmakta ve hikayeleri dışardan bir anlatıcının bakış açısından sunmaktadır. Her tercüme yeniden-yazımdır.

the viewpoint of an outside narrator. Each lingual translation is thus a re-write, each story is retold and

Her hikaye yeni dilde yeniden anlatılmakta ve dönüşmektedir. Üçüncü dil olan görsel dil ise hikayeleri,

retransformed in relation to the position of its narrator in the different language. The third language on the

dünyanın çeşitli yerlerinden imge ithal ederek küresel ulaşımla benzeşen bir seri kolaj ile anlatmaktadır.

other hand, the visual language, narrates the stories through the medium of collages, which import images from

Bu kolajlar, gerçekçi fotomontaj ya da ölçek ve perspektifin dramatik şekilde çarpıtılması olarak değil,

different parts of the world, speaking to the nature of global transport. These are neither realist photomontages,

optik kurallara uygun bir imgeden bir parça kaymış sunumlar olarak düşünülmüştür. Böylece aynen hikayeler

nor dramatic distortions of scale and perspective, but rather collages that are slightly off. In accordance with

gibi kolajlar da, hemen hemen gerçekleşmiş olası bir hadise ile apokaliptik bir felaket, proje ile fantazi,

the stories, the collage is used here as a medium to suggest the fine and fragile boundary between a plausible

ütopya ile distopya arasındaki ince çizgiye işaret eden bir ortam olarak kullanılmıştır.

incident that has almost happened and an apocalyptic catastrophe, a project and a fancy, a utopia and a dystopia

I DEVELOPER'S UTOPIA MÜTEAHHİTİN İDEAL KENTİ

İstanbul had always been a view-conscious city. People say it was indeed this race to the best
İstanbul her zaman manzaraya duyarlı bir şehir olmuş. Şehrin sonunu getiren de en iyi Boğaz manzarası
Bosphorus view that brought the city's apocalypse. It was a moment when being a real estate broker was
için yapılan bu yarış olmuş zaten. Emlakçı olmanın her gencin düşü olduğu bir dönemden bahsediyoruz.
the dream of every teenager.

They called me "the famous visionary developer Mr. Blueye." I was the first to come up with the idea of

İşte bu dönemde "vizyon sahibi ünlü Bay Mavigöz" olarak anılan bir müteahhit, Boğaz kenarında bir sıra

constructing new landfill areas along the Bosphorus and building rows of luxury apartments on them.

dolgu alan üzerine lüks apartmanlar inşa etmiş. Dolgu alanın hemen arkasındaki binalarda oturan aileler

While the old tenants living on the hills behind protested against my idea in the first place, they soon

ilk başta bu projeyi protesto etseler de, bir süre sonra onlar da büyük bir hevesle bu Boğaz'a sıfır yeni lüks

eagerly bought an apartment in these marvelous buildings themselves. Living at the closest point to the sea and

apartmanlardan birer daire almaya karar vermişler. Bu dönemde denize en yakın noktada yaşamak ve

leaving the metropolitan chaos behind was something few people resisted at the time in İstanbul.

metropoliten karmaşayı arkada bırakmak çok az İstanbullunun karşı durduğu bir düş olagelmiş.

Once a genius comes up with a brilliant idea, others will immediately copy him.

Arsa spekülasyonu bir başladı mı kendi sermayesini tüketene kadar kanser gibi yayılır.

Soon, new developers came in and proposed a second,
Kısa sürede yeni müteahhitler çıkmış ve ikinci,

then a third,

sonra üçüncü,

then a fourth row of landfill areas with new buildings along the water. Many nostalgic souls blamed us,
 sonra dördüncü sıra dolgu alanları üzerinde binalar inşa etmişler. Eleştirileri nostaljilikle suçlamış,
but we were just working to supply people's demands and make their lives happier. The memory of the nostalgic
 "halkın isteklerini yerine getiriyor, insanların hayatlarına mutluluk katıyoruz" diyerek savunmuşlar kendilerini.
mind selects from the past what his eye erases from the present. Our business turned out to become one of the
 Ülkenin tarihinde az görülmüş ekonomik bir canlılık yaşanmış bir süre. En üst "sınıf" aileler her iki senede bir
brightest economic booms in the country's history. The first tiers moved every two years to the new row of buildings
 yeni dolgu alanları üzerinde inşa edilen su kenarındaki yeni apartmanlara taşınmış, boşalttıkları dairelere,
just built on the new landfill areas along the water, while their apartments were replaced by second, and then third,
 bu dolgu kentte denize yaklaşabildikleri en yakın noktaya kadar ısrarla giden ikinci, ve üçüncü,
and then fourth tiers who wanted to get the closest they could to the water in our new landfill city.
 ve dördüncü "sınıf" aileler yerleşmiş.

This continued till the whole body of water in Bosphorus was eventually filled up. Does that surprise you?

Bu yarış ta ki Boğaz'ın tümü dolana kadar sürüp gitmiş. Buna aslında pek de şaşıran olmamış.

It is no secret that once land speculation picks up, it will grow until it consumes its own initial credentials.

Başarının pazardaki canlanmayı işadamının kendi parasına dönüştürmesiyle ölçüldüğü bir dönemde,

The successful businessman is the one who acts on time in turning the storm we call market-boom into his

kimse ikiyüzlülük yapmadan bu süreci suçlayamazmış. Onlar da bunu Asya ile Avrupa arasındaki

own cash, and no one in this world can blame me for doing just that. Besides, isn't this also the evaporation of the

sınırın kalkması, Doğu ile Batı'nın buluşması olduğuna inanarak avutmuşlar kendilerini. Küreselleşen dünyada

boundary between Asia and Europe, the merging of the East and West? Isn't it appropriate for these global times

tüm sınırların kalkması zaten uygunmuş. İstanbul'dan başka hangi şehir küresel kapitalizmin kural ve

to discard all borders? Which city but Istanbul is more suitable for taking the first step in uniting the East and West,

ideallerini kullanarak Doğu ve Batı'yı birleştirmeye daha uygun olabilmiş ki?

by implementing the rules and ideals of global capitalism?

All of their squatter houses and decaying illegal apartments were dynamited

Tüm gecekondular ve yasa-dışı apartmanlar

as the symbol of the city's purification from its cancerous modern organisms.

"Şehrimizin arındırılması" kampanyası altında dinamitlenmiş.

NOSTALGIC'S UTOPIA NOSTALJİKİN İDEAL KENTİ

Istanbul turned into a city of melancholia after Turkey became a nation-state. Lost were the golden days of the Ottoman Empire when Istanbul was the city of all cities, the precious stone that all nations hunted after.

The angel of novelty now resided in the new capital, Ankara. It was hard for us who had fallen in love with Istanbul to cope with this unfair loss and devaluation. For years our poets and novelists told the stories of Istanbul's old days, the bright shimmering waters of the Bosphorus, the sun lighting up the hills overlooking the water, the timid men and mysterious women cruising in wooden boats along the coast, the music rising from the fasıls in waterfront houses at nights under the full-moon, the fog blanketing the water in the mornings, the flying gulls as white as the snow covering the streets...

Türkiye ulus-devlet olduktan sonra İstanbul melankolik bir şehre dönüşmüş. Her ulusun peşinden koştuğu şehirler şehri İstanbul'un Osmanlı dönemindeki altın çağları çok gerilerde kalmış; yenilik meleği yeni başkente, Ankara'ya yerleşmiş. İstanbul'a aşık kuşakların bu adaletsiz kayıp ve gözden düşüş ile başa çıkmaları hiç de kolay olmamış. Seneler boyu şair ve yazarlar İstanbul'un eski günlerine ait hikayeler anlatmış durmuş: Boğaz'ın renk renk parlayan suları, denize bakan tepelerin üstüne vuran güneş, ahşap sandallar içinde kıyıyı dolaşan mahçup genç ve gizemli bayanlar, dolunay gecelerinde yalıların içindeki fasıllardan yükselen müzik, sabahları suya çöken sis, sokakları örten kar kadar beyaz havada uçan martılar...

A past that does not pass by and the burdens of a life in a marginalized part of the world that was now guided exclusively by the West... Whose psyche would not be caught up with melancholy in the face of such drastic measures? It was indeed this innocent and passive sadness that created the impulse for the finest poets and artists of a period. And yet, these writers did not suffer even one tenth of what my generation went through before our utopia was concretized. After the 1950's, Istanbul started to pick up its status as a desirable location, however we witnessed more severe demolitions than anyone in the history of this world had ever seen. Our beautiful Istanbul was collapsing, collapsing before our eyes. Its unadulterated green hills were being filled up with the flimsy houses of the newcomers. The nouveau riches were constructing their miserable little palaces along the clean blue waters of our Bosphorus with their kitsch and lavish taste. The uncultivated immigrants coming from all over Anatolia were butchering the noble culture of our city.

Geçmek bilmeyen bir geçmiş, ve Batı'nın rehberliğindeki dünyanın marjinalleştirilmiş bir köşesindeki hayatın yükleri. Kimin ruhu bunlar karşısında melankoliye kapılmaz ki? Bir dönemin şair ve sanatçılarına ilham veren şey de bu saf ve pasif hüznün başkası değilmiş. Ancak bu melankoli 1950'lerden sonra, yani İstanbul tercih edilen bir kent olarak değerini tekrar kazandıktan sonra yepyeni bir tona bürünmüş. "İstanbul gözlerimizin önünde elden gidiyor" diye yakınan nostaljik ruhlar, şehre yeni göç edenlerin yeşil tepeler üstünde kurdukları kırılgan evlere, yeni zenginlerin Boğaz'ın mavi suları boyunca yaptırdıkları lüks villalara dikmişler gözlerini. Anadolu'nun dörtbir yanından gelen "kültürsüz" buldukları göçmenleri şehrin – şehirlerin – "asil kültürünü" "bozmakta suçlamışlar.

My views finally gained credit after years of struggle, criticism and instruction. My nostalgic dream of
   Yıllar süren yakınma, aşağılama ve sitem sonucunda bu fikir geçerlilik kazanmış, ve bir nostaljik tarafından
restoring İstanbul back to its golden days finally came true to put a perpetual end to these horrific sins.
   önerilen İstanbul'u eski altın çağına döndürme projesi kabul görmüş. Bu proje kapsamında 1950'den sonra
All the landfill highways and parks constructed after 1950 were pulled down.
   kıyı boyunca inşa edilen tüm dolgu alanlar teker teker yıkılmış.

All residents whose families moved to the city in the last century were deported back to their villages.

Son yüzyılda şehre göç eden aileler köylerine geri gönderilmiş.

Back were the old and peaceful mansions and waterfront houses, beautiful palaces and *külliyes* of İstanbul,

Böylece yalı ve konakları, saray ve külliyeleriyle tarihin en zarif ve huzur dolu uygarlığının yaşadığına inanılan

where one of the most graceful civilizations of history resided. Are you blaming me for being a stubborn nostalgic?

İstanbul eski günlerine geri döndürülmüş. Nostaljik aklın hafızası şimdiki zamandan seçtiğini

Tell me my friend, what is nostalgic about nobly resisting the destitute existence of Being?

geçmiş zamandan siler. Ona göre tüm bunlar, Varolmanın fakirliğine karşı asil bir direniş, şehri dışardan gelen

Is it a crime that the unrefined cultures of the outsiders had to be erased to rescue our city?

göçmenlerin rafine olmamış kültüründen kurtarmaktan öte bir şey değilmiş.

III ARCHEOLOGIST'S UTOPIA ARKEOLOĞUN İDEAL KENTİ

The residents never thought this could happen, and yet, had it not been the fate of the greatest cities of

Şehrin sakinleri buna hiç ihtimal vermiyorlarmış, ama onlarca uygarlığın kurulduğu büyük kentin başına da

so many civilizations? Yes, Istanbul also turned into a sunken city. The water of Istanbul that once drew

aynı şey gelmedi mi? Evet, İstanbul da sonunda batık bir şehre dönüşmüş. Milyonları kendine mıknatıs gibi çeken

millions of citizens to itself like a magnet, became the murderer of those who loved it the most. The last habitants

İstanbul suları, onu en çok sevenlerin katili olmuş. Büyük bir inançla yaşamaya devam eden İstanbul'un

who continued to live in Istanbul with full faith were the passionate lovers whose attachment to the city

son sakinleri, ona en açık bilimsel verilere gözleri körleşecek kadar tutkuyla bağlananlarmış. Bu aşıklar,

blinded them to the most blatant scientific facts. Every year they moved one floor up and up in their buildings,

her sene apartmanlarında birer kat yukarı, kendilerinin aksine İstanbul'un yaklaşanan sonunu görecek kadar

filling in the apartments of those who were realistic enough to confront the approaching death of Istanbul and

gerçekçi oldukları için geç kalmadan şehri terkedenlerin boşalttıkları dairelere taşınmışlar. Tahminlere göre,

leave the city before it was too late. The day when the city completely sank under water, documents predicted that

şehir tamamen sular altında kaldığında, evlerini terketmeyi reddeden yüzbinlerce kişi bulunuyormuş.

there were still hundreds of thousands of people who refused to leave their houses.

It was these drowned bodies that we kept coming across as we started our archeological research in the sunken city.
Arkeologlar batık şehirde araştırma yapmaya başladıklarında, işte bu boğulmuş bedenlere rastlayıp durmuşlar.
Bodies who tied themselves to the window frames of their houses in order to be able to continue watching
Yükselen sular altındaki İstanbul manzarasını son ana kadar seyredebilmek için kendilerini evlerinin
the last view of Istanbul as the water rose to fill in the whole space; bodies who held tightly to each other as if
pencere pervazlarına bağlayan bedenler; aşkın mucizesine inandıklarından birbirlerine sıkıca sarılan bedenler;
the love of two people could make miracles possible; bodies who preferred to drown with their city
hatıralarıyla yaşamaktansa şehirleriyle boğulmayı tercih eden bedenler...
rather than live with their memories.

Although the rise of the water level was commonly attributed to global warming, some conspiracy theorists claimed
Su seviyesinin yükselmesi genellikle küresel ısınmaya atfedilse de, bir hipoteze göre bu afet, daha iyi araştırma
that it was indeed a secret international institution of archeologists and historians who calculated this disaster
yapmak için dünyanın dörtbir köşesindeki büyük doğa alan projelerini destekleyerek kıyı kendilerini yaşanmaz
by promoting extensive landfills throughout the world in order to eventually make coastal towns inhabitable.
hale getirmeye çalışan arkeolog ve tarihçilerden kurulu gizli bir uluslararası kurum tarafından hesaplanmış.
This indeed is a groundless accusation, but it is true that the rise of water served as a response to our
Bu hipotezin ne kadar doğru olduğunu bilemiyoruz, ancak İstanbul'un batması gerçekten de yıllar boyu kazı ve
years-long petition for the reduction of Istanbul's population in order to do better research.
araştırma yapabilmek için şehrin nüfusunun azaltılmana uğraşan arkeolog ve tarihçilerin işine yaramış.

Soon we became the sole owners of Istanbul, we, the archeologists and historians, who used to be ridiculed

Kısa zamanda, güncel konularla ilgisiz olmakla eleştirilen bu kişiler şehrin tek sahibi olmuşlar.

as the irrelevant intruders on the contemporary concerns of city life. Finally we were no longer bothered by

Arsa spekülasyonu, yoğun nüfus ve izdiham, altyapı inşası, ulaşım ağları, resmi milliyetçi ideoloji gibi

land speculations, dense and congested population, infrastructure constructions, transportation networks,

faktörlerin kendilerini engellemesinden kurtulan araştırmacılar, su altındaki bu hayalet şehirde

official nationalist politics or otherwise. Now the whole city was a ghostly land under water that we could dig

istedikleri kadar derine inmişler. Tarihin sırlarını, şehrin eski sahiplerinin hazine ve miraslarını,

and dig lower and lower. Layer after layer, we discovered all the secrets of history, all the treasures and remnants

uygarlıkların yıkımlarına tanıklık eden barbar dökümanları tek tek keşfetmişler.

of former occupants, as well as the barbaric documents that witnessed their destruction. It was only when

Bu şehrin cesedini hiçbir millet sahiplenmediği zaman ancak, tarihindeki her din ve

no nation had a claim to possess the corpse of this city any longer, that every religious and ethnic group who

etnik grubun katkıları hiçbirinin hakkı yenmeksizin ortaya dökülebilmiş.

had a share in the making of its history was revealed without debt. The apocalypse of Istanbul thus marked

Böylece İstanbul'un ölümü tarih yazımında bir devrim doğurmuş.

the beginning of a revolution in historiography.

IV ENTERTAINER'S UTOPIA EĞLENCE KRALININ İDEAL KENTİ

Going into the water from the banks of the Bosphorus, the Golden Horn or the Marmara Sea had always been

İstanbul'da Boğaz, Haliç ve Marmara kıyılarından denize girmek her zaman popüler olmuş.

common practice in İstanbul. In hot summer days, you could often come across groups of children performing

Sıcak yaz günlerinde, denize en iyi atlama yarışmaları yapan çocuklara, evlerine güvenli bir mesafede yüzen

their best jumps into the sea, residents of waterfront houses swimming at a secure distance near their houses,

yalı sakinlerine, serin bir esinti alında su kenarında yarı çıplak oturan erkeklere rastlamak çok olasıymış.

men sitting half-naked on the banks along the water for a cool breeze. However, the municipality never thought of

Ancak belediyenin aklından bu vatandaşların hayatını kolaylaştırmak hiç geçmemiş. İstanbul'un yüksek,

making these citizens' life easier. Going into water from the high, stony and sharp-edged banks of İstanbul

taşlı ve keskin uçlu kıyılarından suya girmek tahmin edebileceğinizden çok daha zahmetli imiş.

was more painful than you could imagine. Worse was getting out of it, which was enough to make one forget

Hele çıkması o kadar ızdırap verirmiş ki insan suda olmanın zevkini unuturmuş. Kesilen ayaklar,

all the enjoyment from being in the water in the first place. Cut feet, bleeding arms, wounded muscles,

kanayan kollar, zedelenen kaslar, kırılan kemikler... Neden kimse şu denize biraz daha rahat inen

broken bones... I sometimes wonder why anyone else before me could not think of building some more

birkaç basamak yapmayı akıl edememiş ki?

comfortable steps into the sea?

They called me "The Entertainment King," I constructed the first sand beach as a new landfill area along Ortaköy that gained instant popularity. Other managers in the entertainment business picked up my idea immediately, and all banks of the Bosphorus were soon transformed into a series of beaches and entertainment parks. The entertainment scene in the city, which had been relatively calm in the summer due to the emigration of high society to the Mediterranean, thus reached the same glamour it had in other seasons. Since people were not eager to share their pleasure with strangers – and I don't blame them – we segregated each beach from the other in relation to class and sometimes gender distinctions. We constructed concrete walls and barbed wires to divide them, and applied high penalties to those who tried to break into a beach they did not belong to. In the city of gated community beaches, the entertainment community lived happily ever after.

En sonunda halk arasında "Eğlence Kralı" diye anılan bir işadamı Ortaköy boyunca yeni bir dolgu alanı üstünde kum bir plaj yapmış. Bu sahil o kadar popülerleşmiş ki, eğlence dünyasındaki diğer müdürler de fikri hemen kabullenmiş, ve kısa sürede tüm Boğaz sahilleri plaj ve eğlence parklarına dönüşmüş.

Yazları yüksek sosyetenin Akdenize göç etmesi nedeniyle sönük geçen eğlence dünyası böylece tüm yıl boyunca aynı göz kamaştırıcı parlaklığına ulaşmış. Ancak insanın keyiflerini yabancılarla paylaşmaya pek yanaşmadıkları bir dönemden bahsediyoruz. Bu yüzden her plaj bir diğerinden sınıf ve bazen de cinsiyet farklarına göre ayrıştırılmış, aralarına beton duvarlar, dikenli teller konulmuş. Dahil olmadıkları bir gruba plajına girmeye çalışanlara ağır cezalar verilmiş. Kapalı kapılar arkasındaki bu plajlarda eğlence dünyası muradına ermiş.

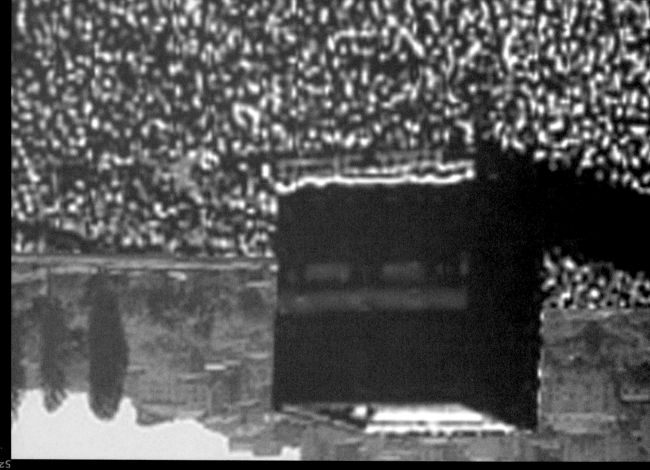

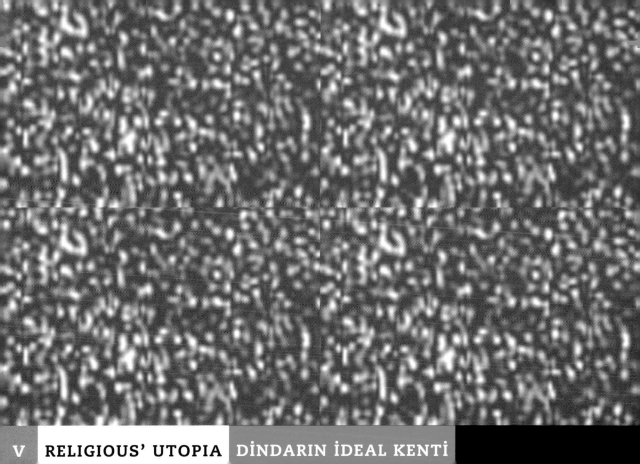

It was a time when the propagandistic manipulation of the so-called "clash of civilizations" divided the world into two, rather than any radical difference between two worlds. At first, my idea of transporting the Ka'bah and the Islamic pilgrimage from Mecca to Istanbul sounded outrageous. But soon, many realized that this radical shift of Islam's symbolic center to Istanbul would not be such a bad idea for the control of the delicate balances between world powers. Although there were some initial protests, religious groups in Istanbul who were concerned about Islam's decreasing influence on the cultural texture of the city were also happy to host this most significant ritual. They finally agreed that the idea was not about turning Istanbul into a religious center, but about global peace. Which other city but Istanbul could demonstrate to the world that Islam was also something of this globalized world, that this religion could well comply with the ideals of Western democracy, and yes, multinational capitalism?

Aralarında radikal farklar bulunmayan dünyaların, "medeniyetler çatışması" diye adlandırılan propaganda ile yönlendirilerek ikiye bölündüğü bir zamandan bahsediyoruz. Bu dönemde bir kişi Kâbe ve Hacca gitme töreninin İstanbul'a taşımasını önermiş. İlk anda rezaletlikle suçlanan bu proje, hemen sonra İslam'ın sembolik merkezini İstanbul'a taşımayı önerdiği için dünya güçleri arasındaki nazik dengelerin kontrolü söz konusu olduğunda hiç de fena olmayan bir fikir olarak kabul görmüş. İlk başta bazı protestolar olsa da, İstanbul'da dine önem veren ve şehrin kültürel dokusuna İslamın azalan rolünden kaygılı olan gruplar da bu en önemli töreni evsahipliği yapmaya istekli olmuşlar. Onlara göre bu İstanbul'u dini bir merkeze dönüştürmekle değil, küresel barışla ilgiliymiş. Küreselleşen dünyada İstanbul'dan başka hangi şehir bu dinin de Batı demokrasisi ve çok-uluslu kapitalizme uyumlu olduğunu kanıtlayabilmiş ki?

Besides, it is naturally the Turks who should host this most symbolic ritual; it is not any other city but İstanbul
Bu sembolik törene evsahipliği yapması gereken Türkler, Doğu ve Batı'yı birleştirmesi gereken de
that should draw the East and West together. International organizations and United States volunteered to sponsor
İstanbul olmalıymış. Uluslararası örgütler ve Amerika, taşıma ücretlerini ve Hacca giden tüm Müslümanların
the costs of transportation, as well as to finance all Muslims in their pilgrimage to İstanbul for the first three years.
masraflarını ilk üç sene boyunca karşılamaya gönüllü olmuş.

We needed a central site in İstanbul that could match up to the symbolic expectations of such a significant event.
İstanbul'da böylesi önemli bir olayın sembolik beklentilerine karşılık verebilecek bir proje alanı aranmış.
The end of the Golden Horn, just below the hills of Eyüp on one side, and the new Miniatürk park on the other
Bir yanda Eyüp'ün tepeleri diğer yanda yeni Miniatürk parkı ile çevrili Haliç'in ucu en uygun yer olarak seçilmiş.
was indeed the most suitable location. A new landfill ground that completely covered the Golden Horn was
Hemen Haliç'in tüm enini kaplayan yeni bir dolgu alan inşa edilmiş. Kabe çok büyük bir özenle yerinde sökülmüş,
immediately constructed. The Ka'bah was carefully de-assembled, transported with high security trucks
sıkı güvenlik önlemleri altında kamyonlarla İstanbul'a getirilmiş, ve kendini bekleyen
to İstanbul and was reassembled on this new landfill area that was waiting for its arrival. From this day on,
dolgu alanının üzerinde dikkatle yeniden kurulmuş. Bu günden sonra yüzbinlerce Müslüman hayatlarının
hundreds of thousands of Muslims visited İstanbul for their once in a life time pilgrimage.
bu en değerli töreni için İstanbul'a gelmiş.

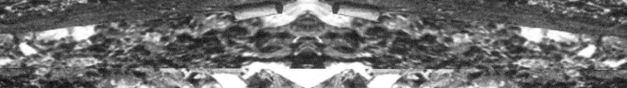

VI ECOLOGIST'S UTOPIA EKOLOJİSTİN İDEAL KENTİ

Only when we reached 50% miscarriages, 30% animal extinctions did the world finally recognize that all of the

Düşük sayısı %50, nesli tükenmiş hayvan sayısı %30'lara ulaştığı zaman, ekolojist gruplar tarafından öngörülen

apocalyptic scenarios predicted by our ecologist community were likely to come true. By the time the United Nations

tüm apokaliptik senaryoların olasılığı nihayet dünyaca kabul edilmiş. Birleşmiş Milletler tüm gezegen üstünde

agreed to implement radical measures of sustainability across the entire planet, the ecological footprint of

sürdürülebilirlik adına radikal tedbirler uygulamaya karar verdiğinde, Los Angeles'in ekolojik ayakizi Çin'in

Los Angeles had become as big as China. They called me the radical ecologist as if there was any other option,

zemin alanı kadar büyükmüş. Radikal ekolojister diye anılan bir grup üyesinin önerdiği proje, ilk bakışta herkese

and yes, radical I was. My group's ecology laws executed environmental measures that seemed drastic to many

çok ağır gelse de, mevcut durumun vahşiliğiyle başka hiçbir şeyin başa çıkamayacağı savunulmuş. Radikal

who still could not realize the brutality of the existing situation. We demanded that each city produce and consume

ekolojist her şehrin kendi gıdasını üretip tüketmesini, kendi doğal kaynaklarını kullanmasını, ve şehirlerarası

its own food, use its own natural resources, and avoid any inter-city import or export. This was the only true way

ithalat ve ihracatın durdurulmasını önermiş. Bu taslağın, şehirleri sürdürülebilir, küreyi ise kendine yeten

to turn all cities into sustainable environments and thus the globe into a collection of self-sufficient cites.

kentlerden oluşan bir çevreye dönüştürmenin tek yolu olduğunu savunmuş. Bunun sonucunda, dünya yüzünde

Large population shifts occurred throughout the world; millions of people had to leave their big cities and immigrate

radikal nüfus kaymaları meydana gelmiş; milyonlarca insan yaşadıkları büyük şehirleri terk ederek, bağımsız

to more fruitful lands to construct independent garden cities. Some cites proved to have totally ruined

bahçe şehirler kurmak üzere daha verimli topraklara göçetmiş. Bereketli tarım olanaklarını tamamen yitirdiği

their fertile harvest pastures, and their citizens abandoned them to construct new towns outside their lifeless soil.

anlaşılan bazı şehirler ise boşaltılmaya, ve ölü topraklarının dışında yeni kentler kurulmasını gerektirmiş.

Coastal cities such as İstanbul survived, since they could use their water to produce energy, albeit with drastic
population decreases. No citizen was allowed to eat any food that was produced out of an area of 50 km². All families
were legally obliged to grow 60% of their food consumption in their own backyard. As a result, cute wooden houses
with gardens used for food production filled up the whole coast of the Bosphorus and the Marmara Coast.

İstanbul gibi kıyı kentleri enerji üretiminde su kullanabildikleri için, ciddi nüfus kayıpları ile de olsa,
hayatta kalmasını başarmış. Kentlerin 50km² dışında üretilen herhangi bir besin maddesini alması
yasaklanmış, gıda tüketimlerinin %60'ını kendi bahçelerinde üretmeleri şart koşulmuş.
Bunun sonucunda Boğaz ve Marmara Denizi kıyıları sevimli ahşap evler ve meyve-sebze ekilen bahçelerle dolmuş.

Only those who called themselves "the metropolitans" spoiled my master plan. Naturally, the ecological footprint
of the artists and intellectuals or anyone who refused to engage in agricultural activities turned out to be much
larger than it was supposed to be, because they were eating food but producing anti-food in return. For instance,
producing ideas and artworks in the city did not count as real production in the calculation of the ecological
footprint, since they could not be eaten or used as energy supply. We kindly asked these groups to comply with the
regulations like everyone else and reserve some of their time to grow food and harvest. But no, they stubbornly
insisted on living in congested urban environments that allowed for little agricultural land, and left us with no choice
but to impose high penalties. Now, the new generations blame us for the disappearance of metropolitan artists
and intellectuals from the surface of the earth, without acknowledging our heroic accomplishments in reserving
the same earth's resources for them. How can this be fair?

Sadece kendilerine "metropolitenler" diyen bir grup bu genel planın uygulanmasında sürtünmelere sebep olmuş.
Sanatçı ve aydınların, ya da günlerinin bir kısmında tarımla uğraşmayı reddeden herkesin ekolojik ayakizi,
gıda alıp karşılığında üretmedikleri için, olması gerekenden çok büyük çıkıyormuş. Örneğin, ekolojik
ayakizinin hesabında, sanat eserleri ve fikir üretmek, yenmeye ya da enerji üretmeye müsait olmadıkları için
gerçek üretim olarak kabul edilmiyormuş. Herkes gibi kanunlara uyup zamanlarının bir kısmını besin ve enerji
üreterek geçirmeyenlere ağır cezalar verilmiş. Bir grup insan karalılıkla yeterince ekili toprağı kaldırmaya müsait
olmayan yoğun kentsel alanlarda yaşamaya devam ettikleri için teker teker cezalandırılmış. Radikal ekolojistler
nankörlüğe uğradığına inanan her fedakar gibi, sonraki kuşakların kendilerini metropoliten sanatçı ve aydınların
neslinin tükenmesinden sorumlu tutmalarına içerlemiş.

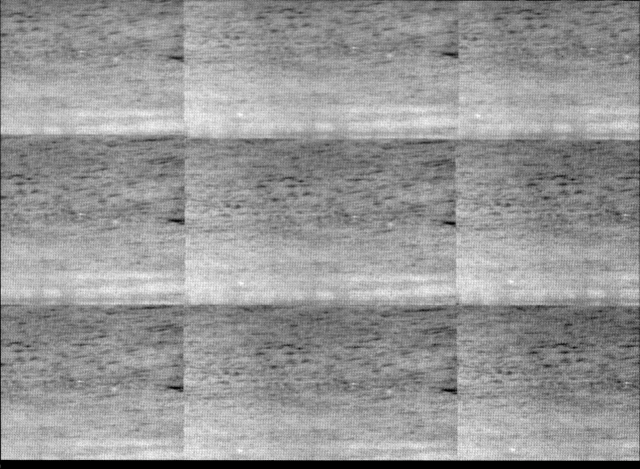

Did you know that there are thousands of citizens in İstanbul who had not once seen the Bosphorus, although
İstanbul'da binlerce kişinin bu şehirde yıllarca yaşayıp çalışmış olmasına rağmen bir kez olsun Boğaz'ı
they had lived and worked in this city for years? They had not once enjoyed its cool breeze, foggy mornings,
görmemiş olduğu bir dönemden söz ediyoruz. Bir kez olsun ilk esintinin, sisli sabahlarının, hayret verici
spectacular views, and all that we have been talking about. We, who unapologetically called ourselves the utopians,
manzarasının ve şimdiye kadar konuştuğumuz şeylerden hiçbirinin keyfini çıkarmamış olduğu bir dönemden.
wanted to change this as well as all other inequalities, class distinctions, ethnic repressions, well, you know the list.
Kendilerine çekinmeden idealist diyen bir grup işte bunu ve buna benzer tüm eşitsizlikleri, sınıf farklarını,
We were those whom everybody listened and nodded as if they agreed, but seldom followed. I bet you are also
etnik baskıları – listeyi bilirsiniz – değiştirmek istiyorlarmış. Herkesin dinleyip kafa salladığı ama hiç bir zaman
laughing behind my back at this very moment. And yet, you should never underestimate human's conscience
takip etmediği, karşılarında konuştukça büyük altından güldüğü bir grup... Ancak insanları daha iyi bir dünya
and imagination to define better worlds. We, the utopians of the post-utopia period consciously refused to fully
tanımlamadaki hayal gücünü ve vicdanını sakın hafife almayın. Ütopya sonrası zamanların ütopistleri
describe the ideal world we were aspiring, realizing that the real utopia should never be defined or illustrated,
düşledikleri ideal dünyayı betimlemeyi, gerçek ütopyayı tanımlamayı ya da resmetmeyi reddetmişler,
since this would always be a disappointment.
çünkü bu hayal kırıklığından başka birşey olamazmış.

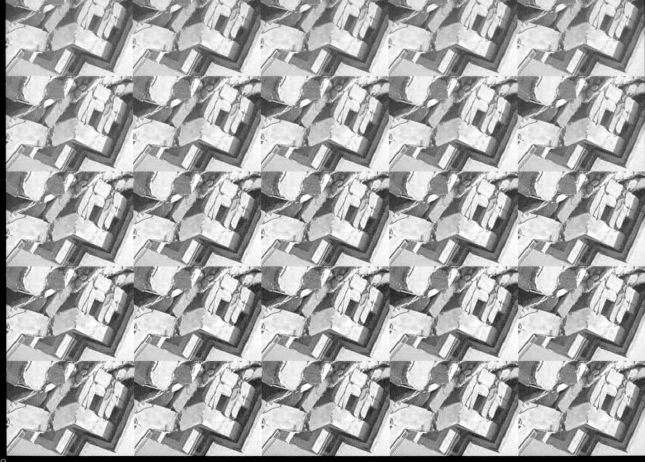

VIII **CYNIC'S UTOPIA** SİNİKİN İDEAL KENTİ

Just like depression, cynicism is the enlightened recognition that action is futile. Unlike depression however,
Aynen bunalım gibi, siniklik de eylemin yersiz olduğunun idraki ile aydınlanmaktır. Ancak bunalımın tersine,
cynicism means enjoying it. I, for one, trusted no one, hoped for nothing, wasted no time in movements.
siniklik bundan zevk almak demektir. Bir zamanların İstanbul'unda yaşayan sinikler de kimseye güvenmez,
I could foretell all the catastrophes that would put an end to İstanbul's history, and, well I confess, secretly waited
hiçbir şey ümit etmez, akımlarla zaman kaybetmezlermiş. İstanbul'un tarihine son verecek afetleri teker teker
for the next disaster to give an 'I told you so' look to those who were naïve enough to believe in the possibility
önceden bilir, ve tüm felaketleri, kurtuluşun olasılığına inanan safdillilere "ben size söylememiş miydim"
of any redemption. It was the final earthquake that proved me right one last time.
diyebilmek için gizli gizli beklerlermiş. Son deprem ne yazık ki onları bir kez daha haklı çıkarmış.

Before the disaster, kilometers of land had been piled up along the coasts of İstanbul by, as I always used to say,
Felaketten hemen önce, İstanbul kıyılarında sorumsuz profesyoneller ve fırsatçı yapım süreçleri tarafından
irresponsible professionals and corrupt construction processes. None of these landfill areas could resist the load of
kilometreler boyu dolgu alan inşa edilmiş. Bu dolgu alanlardan hiçbiri büyük depremin yükünü
the great earthquake and all came down as a pyramid made out of a stack of cards. The green lawns and trees,
kaldıramamış ve hepsi afet sırasında iskambil kağıdı gibi teker teker çökmüş. Dolgu üzerindeki yeşil çimler
highways and cars, promenades and benches, funny sculptures and newspaper stands on these landfill banks
ve ağaçlar, otoyollar ve arabalar, patikalar ve banklar, komik heykeller ve gazate bayiileri karanın
sank into the depths of water after the tremendous land tremor.
şiddetle sarsılması ile denizin içine dökülmüş.

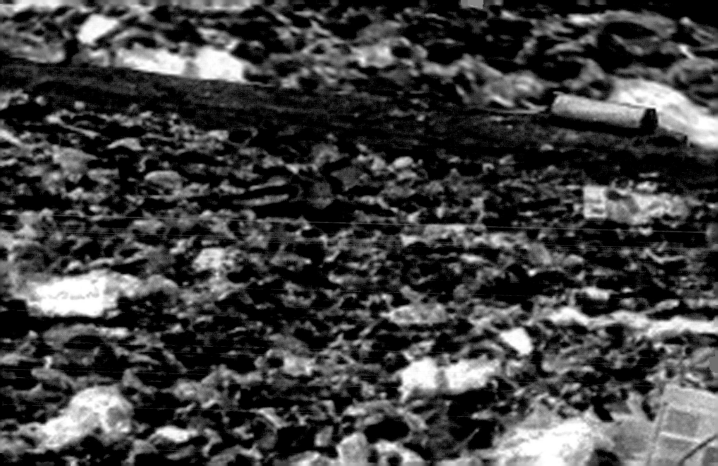

With the devastating storms after the earthquake, these collapsing pieces of land were carried

Depremden sonraki ezici fırtınalar sonucunda, bu çöken kara parçaları Boğaz'ın kuzey ağzına sürüklenerek

to the northern threshold of the Bosphorus, blocking the flow of water between the Black Sea and the Marmara Sea.

Marmara Denizi ve Karadeniz arasındaki su akıntısını tıkamış. Akıntının kesilmesi sonucunda Boğaz'ın suları

As a result of the lack of water current, the Bosphorus dried up, leaving a dirty empty pit in the middle of the city.

çekilerek şehrin ortasında büyük uzun bir çukur bırakmış. "İstanbul'un koyu yeşil lağım şelaleleriyle suladığı

"The Bosphorus soon turned into a pitch-black swamp in which the mud-caked skeletons gleamed

bu lanet çukur, yaklaşan ölülerden çıkan mavimsi dumanın aydınlığıyla dolmuş."

like the luminous teeth of ghosts."

Miraculously, no one had died in the earthquake, but the city habitants who claimed to be fed up with the

Siniklerin yazdığı tarihe göre, depremde mucize eseri kimse ölmemiş, ancak sinikliğin şehirdeki egemenliğinden

dominance of cynicism but who were in reality depressed because of their own failure to confront reality left the city

bıktığını düşündüğümüz halk (sinik resmi tarihine göre "gerçekler karşısında bunalıma giren halk")

to build new towns within low risk-areas. Soon the pit remaining in the middle

İstanbul'u terk edip, daha az riskli sağlam zeminlerde yeni kentler kurmuşlar. Kısa bir zaman içinde,

of the ghostly city, the land that used to be the beautiful Bosphorus, started being used as a garbage disposal area

bu hayalet şehrin ortasına açılan çukur, bir zamanlar adına güzel Boğaz denilen yer, çevre kentlerin çöplerini

where the surrounding new towns dumped their waste. Apart from the garbage collectors, only we,

atıkları bir deliğe dönüşmüş. Çöp toplayıcılarının haricinde bir tek sinikler bu atık alanda yaşamayı sürdürmüş

the cynics continued to live in this junkyard to celebrate once every year our success in predicting history.

ve senede bir kez tarih öngörümünde sergiledikleri başarıyı kutlamışlar.

IX FREQUENT FLYER'S UTOPIA FREQUENT FLYER İDEAL KENTİ

You think all words can easily be translated, but have you been paying attention to the differences between
Tüm kelimeler tercüme edilebilir zannediyorsunuz, ama elinizdeki kitabın üç metni arasındaki
the three versions of the book you are holding? Is there any such thing as a perfect translation from one language
farka dikkat ediyor musunuz? Bir dilden diğerine mükemmel çeviri diye bir şey mümkün müdür,
to the other, any such thing as a pure language that can be recreated faithfully in every different translation,
tüm çevrilerde sadıkça yeniden üretilebilen saf bir dil var mıdır, yoksa insanlık her zaman konuşulan
or will humanity always be subject to the lack of complete correspondence between different languages they speak?
diller arasında bire bir örtüşmenin eksikliği ile mi yaşayacak? Bu bizi birbirimize uzak "öteki"ne mi dönüştürür,
Does this turn us into distant "others" for one another, or just endow us with our desirable differences?
yoksa çekici farklarımızı mı sunar? Peki ya görsel dil yazılı dilden ne farklılaştırır?
And how is visual language different from the lingual ones? Is there something redemptive in the shallowness
Görsel imgenin yüzeyselliğinde, kolay taşınabilirliğinde, görece evrenselliğinde,
of the visual image, in its easy transferability, its relative universality, which escapes the condemnation
tercümenin imkansızlığına meydan okuyan özgürleştirici bir yan var mıdır?
to untranslatable languages? Is it possible that the visual language is a shared medium that is in no need of
Görsel dil çeviri gerektirmeyen ortak bir ortam mıdır, yoksa o da kültürlerce kodlanmış mıdır?
translation, or is vision also culturally coded?

"With the invention of the airplane and the shift of marine travel to air travel, İstanbul lost its central place in the
"Uçağın icadı ve hava ulaşımının deniz ulaşımına tercihi ile İstanbul küresel taşımacılık ağındaki
global transportation network. Before, the Bosphorus was Russia's only gate to the world's oceans, and the power
merkezi yerini yitirmişti.
to limit access to water had always been an effective card for Turkey to play in its negotiations with other countries.

Today, there are still big ships and charming boats sailing through the Bosphorus of course, but lost are the days

Bugün halen Boğaz'ın üstünde büyük gemiler, çekici vapurlara rastlamak olası tabii, ancak artık İstanbul'un

when the waters of Istanbul could act like a capricious prince who well knew his power to control life.

dünya sularına geçiş verme konusundaki uluslararası pazarlıklarda, hayatı kontrol etmedeki gücünü iyi bilen

But you need to worry no more. Here is now the opportunity to restore Istanbul back to its previous status:

kaprisli prensi oynadığı günler çok gerilerde kalmıştır. Ama üzülmeyin. İşte size İstanbul'un eski statüsünü

Didn't Rem Koolhaas say that the best global city will be the airport itself in the near future? And isn't Turkey

onaracak bir fırsat: Rem Koolhaas yakın gelecekte en iyi küresel şehir havaalanının kendisi olacak

waiting for the opportunity to lead the way into the new globalized world? There you go. Fill the Bosphorus up

dememiş miydi? Ve Türkiye küreselleşen bu yeni dünyaya başrolde eklemlenmek için bir fırsat aramıyor mu?

and turn it into an international airport. Which other city but Istanbul would be the perfect transit stop between

Tamam işte. Boğaz'ı doldurun ve üstüne uluslararası bir havaalanı inşa edin. İstanbul'dan başka hangi şehir

the East and West? What else but the Bosphorus could join Asia and Europe? You shall see. Millions of frequent

Doğu ile Batı arasında mükemmel bir transit noktası olabilir ki? Boğaz'dan başka kim Asya ve Avrupa'yı

flyers will choose Istanbul to invest, hold a meeting, spend the weekend and so on. What is more practical

birleştirebilir? Göreceksiniz. Milyonlarca yolcu yatırım yapmak, toplantı düzenlemek, hafta sonunu geçirmek için

than a big international airport that is walking distance to the center of one of the biggest cities in this world

İstanbul'u seçecektir. Dünyanın en büyük şehirlerinden birinde, gerekli tüm küresel servislere sahip bir ticaret

with full services for global business? You can check in at Beşiktaş and move up to the city in ten minutes.

ve iş merkezine yürüme mesafesindeki uluslararası havaalanından daha pratik ne olabilir? Beşiktaş'ta giriş yapar

The maiden tower can eventually have a meaningful function and be used as the control tower of the airport.

şehre on dakikada ulaşırsınız. Kız Kulesi sonunda bir işe yarar ve havaalanının kontrol kulesi olarak kullanılır.

In this way, planes will bridge the cultures of the world; the flying global elite will be the agents of perpetual peace,
Böylece uçaklar dünyanın kültürleri arasında köprüler kurar, uçan küresel elit kalıcı barışın elçileri,

the ultimate translators that bring cultures together. According to the myth of the Tower of Babel,
kültürleri bir araya getiren nihai tercümanlar olur. Babil Kulesi efsanesine göre insanlar kendi dillerini

it was because humans wanted to impose their own tongue on the entire universe as if they had the powers of God
tüm evrene empoze etmek istedikleri, yani Tanrılaşmaya çalıştıkları için farklı dillere mahkum edilmişlerdir.

that humanity was condemned to the multiplicity of languages. They were thus also challenged with the most
İşte bu yüzden de en zor görev olan tercüme ile itham edilmişlerdir ki, bu da artık sonunda sık uçan

difficult task of translation, which will now finally be accomplished by the frequent flyers of global times."
yolcular tarafından gerçekleştirilecektir."

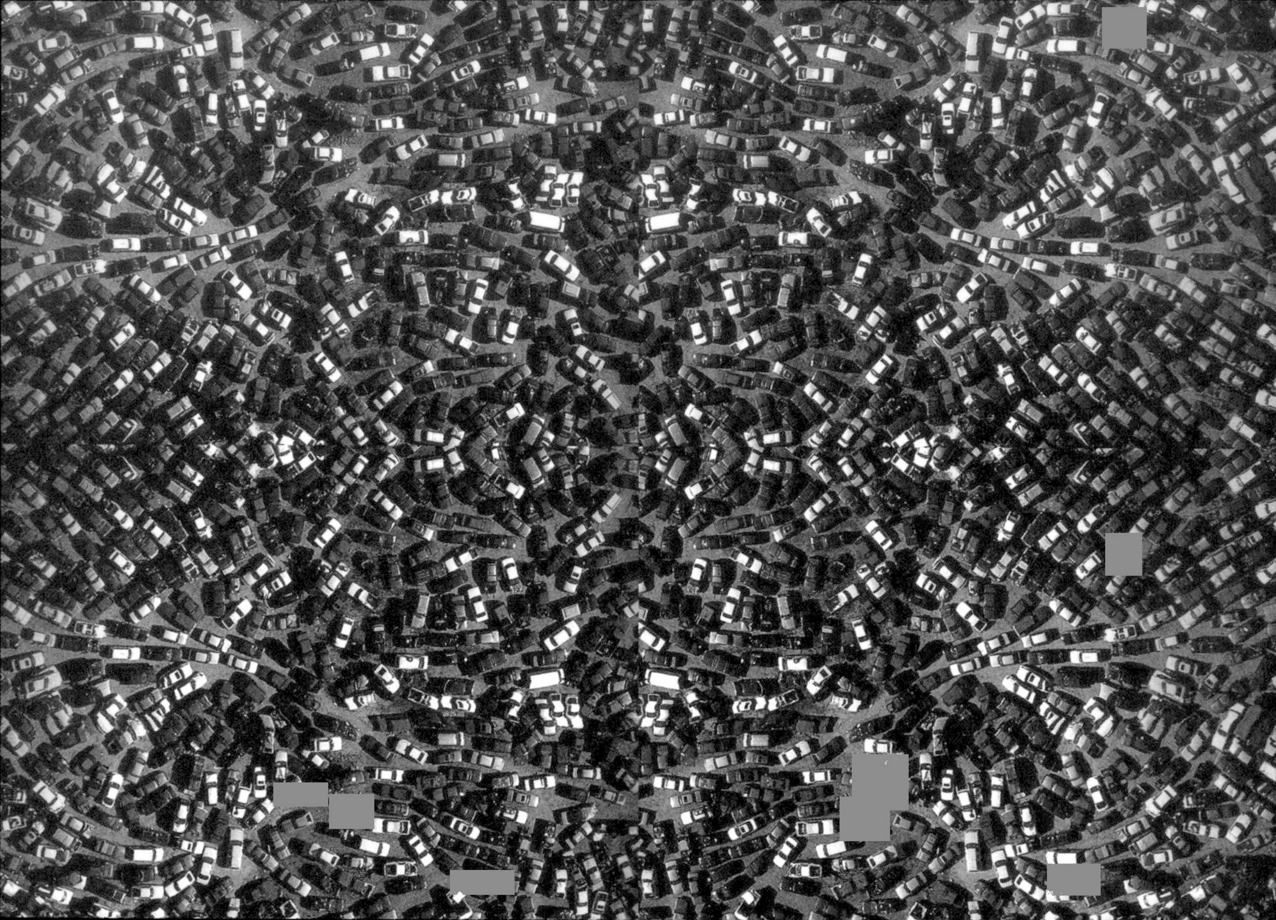

Karada tam gaz denizde batmaz

Please... A city of ten or more millions without an efficient public transportation system? Or a population

Etkili bir toplu taşımacılık sisteminden yoksun on ya da daha fazla milyon nüfuslu İstanbul'da özel arabalara

that worships private cars? Needless to say, only if this nightmarish commuting did not exist, İstanbul could

tapan bir topluluğun yaşadığı günlerden söz ediyoruz. Bir zamanlar İstanbul'da yaşamak her sabah ve akşam

have been a city one could survive in. Stories of traffic jam hysteria made it to the news every evening;

kabusa dönüşen ulaşım yüzünden dayanılmaz hale gelmiş. Trafik sıkışıklığı isterisi her akşam haberlere konu

A bus driver who could not stand the traffic jam any longer, after four hours left his bus on the road with all the

olurmuş; Trafikte dört saatten daha fazla bekleyemeyip içinde yolcularıyla birlikte otobüsünü yolun ortasında

passengers inside, and departed for a vacation in Bodrum; a stock market broker who slammed all the front

bırakıp Bodrum'a tatile giden bir şoför, yolda beklerken arabasında inip tüm araçların ön camlarını kıran bir borsacı,

windows of the cars waiting on the road, starting with his own; a student who patiently tore apart one page

geç kaldığı dersin kitabından her dakika büyük bir sabırla birer birer sayfa yırtan bir öğrenci, arabanın dört paspasını

every minute from his book for the class he was late for; a restaurant owner who chewed all the four plastic mats

da çiğneyen bir lokanta sahibi;... Örneğin ben de, bir cuma gecesi Cihangir'den Emirgan'a giderken Ortaköy'deki

on his car's floor... I, for one, came up with the idea of writing this book on my way from Cihangir to Emirgan

bir bar önünde arabada bir saat hareketsiz kaldığım sırada elimdeki kitabı yazmaya karar vermiştim.

on a Friday night, waiting in a car stuck motionless for over an hour right in front of a night-club in Ortaköy.

So, what did you expect? When the amphibian cars were put on market, Istanbulers were the first to rush

Dolayısıyla başka ne beklenebilirmiş ki? Amfibyan arabalar satışa çıktığında, ilk ve en hevesli alıcıları

to purchase one. It did not matter how expensive they were. A car that goes both on land and water seemed as if

İstanbullular olmuş. Ne kadar pahalı oldukları önemsizmiş. Hem karada hem denizde giden bir araba

it was designed specifically for Istanbul. Soon the waters of the city were filled with the commuters driving

sanki İstanbul için özel olarak tasarlanmış. Kısa zamanda deniz taşımacılığı durmuş ve şehrin suları Boğaz

their amphibian cars along and cross the Bosphorus and the Marmara Sea, putting an end to the marine travel.

ve Marmara Denizi'nde boydan boya ya da karşıdan karşıya amfibyan arabalarını kullanan sürücülerle dolmuş.

Now it was no longer the ships and boats but only the cars that could occupy the waters of İstanbul.

Artık gemi ve vapurlar değil sadece arabalar sarmış tüm İstanbul'u. Yeni ulaşım aracı o kadar çabuk

The new transportation vehicle became so instantly popular that the government had to put the new Ministry of

popülerleşmiş ki hükümet Deniz Sürücüleri Bakanlığını hızla yönetime sokmaya mecbur kalmış.

Sea Driving into urgent practice. It was first in İstanbul that the traffic regulations and signs for the amphibian cars

Amfibyan arabaların trafik kuralları ve işaretleri ilk kez İstanbul'da tasarlanarak, şehir yüzyılın

were designed, making the city the avant-garde of the new century's transportation system.

yeni ulaşım sisteminin öncüsü yapmış.

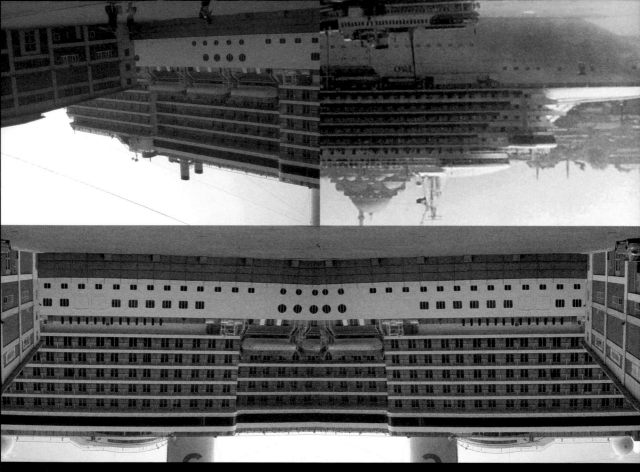

XI SAILOR'S UTOPIA DENİZCİNİN İDEAL KENTİ

Everybody knows that watching ships sail gracefully through the Bosphorus is addictive. So is watching İstanbul

Boğaz'dan geçen gemileri seyretmenin insanda alışkanlık yaptığını herkes bilir. Boğaz'ı geçerken geminin içinden

while crossing the Bosphorus in a boat. It was one of these festive days when I was sailing in one of the biggest

İstanbul'u seyretmek de öyle. İşte böylesi şen günlerden birinde, dünyanın en büyük seyahat gemilerinden

cruising ships of the world, the King Whitestone. Thousands of citizens gathered along the banks of the Bosphorus

biri olan Kral Beyaztaş'ın İstanbul sularından geçmesi bekleniyormuş. Geminin Boğaz'dan süzülüşünü

to watch our ship sail through the Bosphorus, some schools were cancelled to organize field trips to the site,

seyretmek için binlerce kentli kıyıya toplanmış, bazı okullarda dersler Boğaz'a düzenlenen gezi için iptal edilmiş,

employees made up all sorts of excuses to leave their offices and watch the occasion. Although we showed up

memurlar ofisten çıkıp olay yerine gelmek için bin bir çeşit bahane uydurmuş. Kral Beyaztaş tam yedi saat

7 hours late, few people gave up their desire to see the King Whitestone and many continued waiting

gecikse de, kimse onu görme arzusunu yitirmemiş ve izleyiciler sıkıntıyla başa çıkmanın en yaratıcı yöntemlerini

while they came up with the most innovative methods for fighting boredom. Finally we arrived, sailing

icad etmişler. Sonunda gemi tüm gücü ve ihtişamıyla suyun üstünde kayarcasına Karadeniz'den çıkıp gelmiş.

slickly from the Black Sea towards the historical peninsula with full strength and potency. Who would not want

Bu anı kim dondurmak istemezmiş ki? Gemi Boğaz'ı sorunsuzca geçmiş, ancak daha sonra öldürücü

to freeze this moment forever? Our ship crossed the Bosphorus smoothly, but then, with a deadly mistake,

bir hata sonucunda sola Marmara Denizi'ne döneceğine, sağa Haliç'e rotasını kırmış, ve binlerce izleyicinin

turned right to the Golden Horn instead of left to the Marmara Sea, hit the land getting stuck just at the edge of the

gözleri önünde karaya çarparak tarihi yarımadanın ucunda sıkışıp kalmış. İşte tam bu anda denizcinin aklına

historical peninsula in front of the eyes of thousands of city habitants. And this was exactly the moment

aşağıda okuyacağınız çözüm gelmiş.

when the idea sparkled before my eyes.

An event of this magnitude should have been a history-making episode. And yet the accident did not surprise

Bu kadar büyük bir olayın tarihe geçmesi beklenir. Ancak kaza sanki tahmin edilebilir bir şeymişçesine kimseyi

anybody, as if it was something predictable. The citizens of İstanbul, who were already immune to watching

şaşırtmamış. Doğal afetleri ve savaşları güvenli evlerindeki televizyonlardan seyretmeye alışık İstanbullular,

natural disasters and wars on television from their secure seats at home, watched the biggest accident

yüzyılın kazasını kendileri için sahneye konmuş bir oyun gibi seyretmişler. Ayrıca, İstanbul'da Boğaz kıyılarına

of the century as if it was prepared as a public spectacle. Besides, it was not something unusual for İstanbul

çarpan gemilere tanıklık etmek hiç de olağandışı bir hadise değilmiş. Şehrin tarihi her çeşit denizde yüzen

to witness boats crashing into the banks of Bosphorus. The city's history was full of incidents where sailing objects

nesnenin yalılara çarptığı, içinde yaşayanları uykularında öldürdüğü ya da ölümüne korkuttuğu vakalarla

of all kinds smashed into the waterfront houses, killing the residents in their sleep or scaring them to death.

doluymuş. Bazen, patlayıcı madde ile dolu devasa yük gemilerinin Boğaz kıyısındaki küçük kırılgan evlere çarpıp,

At times, massive transportation ships that carried explosive materials would hit small little houses

tüm şehri riske soktuğu bile olurmuş.

along the Bosphorus, putting the whole city at risk.

By the time of the accident, no one, including myself, had realized that King Whitestone's width was exactly

Kaza olana kadar kimsenin aklına gelmemişti ama, Kral Beyaztaş'ın eni Haliç'in eni dolgu son dolgu alanları

the same as the gate of the Golden Horn, which had already shrank extensively due to the series of landfills.

yüzünden iyice incelen eni ile aynı imiş. Şehir yine küçük gelmeye başlamış ve bir şekilde büyümeye çalışıyormuş

The city was running out of space again and seeking an opportunity to expand anyway. So, I said:

zaten. Bunun üzerine denizcimizin aklına bir fikir gelmiş: "Milyonlarca dolar yeni bir dolgu alanı için

"Rather than spending millions of dollars for a new landfill area, wouldn't it be wise to use this ship,

harcamaktansa, devasa çarpışması hiç kimsenin gözünde bir damla bile travmatik yaş akıtmayan bu gemiyi

whose gigantic crash did not even cause a traumatic tear drop in any citizen's eye? What else but a gift of God

kullanmak akıllıca olmaz mı? Seksi bir restorasyon projesi ile kolayca lüks bir ofis ve alışveriş merkezine

could explain the erotic arrival of this new luxurious space that can easily be converted for corporate

dönüştürülebilecek bu geminin Haliç'e erotik girişi Tanrı'nın bir lütfu değil de nedir?" Kral Beyaztaş böylece

and commercial use with a sexy renovation project?" King Whitestone thus anchored to Istanbul waters for eternity.

sonsuza dek İstanbul sularına demirlemiş. Çok önceleri başlayan bir süreç son halkasını takararak eski ve

It took the last step of a process that had long started, and completely bridged the old and the new city.

yeni şehri tamamen birleştirmiş. Mükemmel bir çözüm. Yerine-özel hazır-yapım olarak yorumlayın.

Perfect solution. Call it a site-specific ready-made.

IMAGE CREDITS İMGE KÜNYELERİ

Esra Akcan: (photograph fotoğraf) p. s. 9, 10, 27, 39, 46 (bottom two rows
alt iki sıra), 47, 55, 58, 59, 64, 65, 88 (top row & bottom right
üst sıra & alt sağ) 89 (bottom row alt sıra)
(collage kolaj) p. s. 13-23, 29-35, 41-45, 49-51, 57, 61-63, 71-73,
77-81, 85-87, 91-95: All collages are the work of Esra Akcan. The collages for
"Frequent Flyer Utopia" and "Driver's Utopia" have been prepared by using
Gürol Kara and Ali İhsan Gökçen's photographs as a background.
Tüm kolajlar Esra Akcan tarafından yapılmıştır. "Frequent Flyer İdeal Kenti"
ve "Sürücünün İdeal Kenti" kolajları Gürol Kara ve Ali İhsan Gökçen'in
fotoğraflarının zemin olarak kullanılması ile üretilmiştir.

Thomas Allom: (engraving gravür) p. s. 24

Martimer Fox – NGS Image Collection: (photograph fotoğraf) p. s. 75

Ara Güler: (photograph fotoğraf) p. s. 38

Alex MacLean: (collaged photograph kolajlanmış fotoğraf) p. s. 82

A. I. Melling: (engraving gravür) p. s. 37

İstanbul Kitaplığı Arşivi: The photographers of İstanbul's old photos
cannot be identified. İstanbul'un eski fotoğraflarının kim tarafından çekildiği
tespit edilememektedir. p. s. 8, 25, 46 (top row üst sıra), 74

www.turkishpilots.org: (photograph fotoğraf) p. s. 89 (top row üst sıra)

We have made every effort to identify and contact the copyright holders
of the photographs used in this book. If you claim ownership for any of the
photographs that we assumed to belong to the public domain, please
notify us (E: 124_3@tnn.net). However, this is a strictly non-profit publication.
Bu kitapta kullanılan fotoğrafların sahiplerini tespit etmek ve onlara
ulaşmak için tüm çabayı sarfettik. Eğer kamusal alana atfettiğimiz
herhangi bir fotoğrafın üzerinde hak iddia ediyorsanız, lütfen bize bildirin
(E: 124_3@tnn.net). Ancak bu yayın kâr amacı gütmemektedir.

This book has been issued in conjunction with the Urban Flashes-İstanbul
exhibition. I would like to thank Peter Lang and Aybars Aşçı for their support
during the preparation of this project (EA).
Bu kitap Urban Flashes-İstanbul sergisinin paralelinde hazırlanmıştır.
Bu projenin yapım sürecindeki desteklerinden ötürü Peter Lang
ve Aybars Aşçı'ya teşekkür ederim (EA).